Vite,
Rator est là !

Des romans à lire à deux,
pour les premiers pas en lecture !

La collection Premières Lectures accompagne
les enfants qui apprennent à lire. Chaque roman
peut être lu à deux voix : l'enfant lit les bulles et
un lecteur confirmé lit le reste de l'histoire.

Cette collection a trois niveaux :

JE DÉCHIFFRE les bulles peuvent être lues par l'enfant
qui débute en lecture.

JE COMMENCE À LIRE les bulles peuvent être lues
par l'enfant qui sait lire les mots simples.

JE LIS COMME UN GRAND les bulles peuvent être lues
par l'enfant qui sait lire tous les mots.

Quand l'enfant sait lire seul, il peut lire les romans en entier,
comme un grand !

Un concept original **+** des histoires simples **+** des sujets
qui passionnent les enfants **+** des illustrations :
des romans parfaits pour débuter en lecture avec plaisir !

**Cette histoire a été testée par Sophie Dubern, enseignante,
et des enfants de CP.**

Vite,
Rator est là !

Texte de Guy Jimenes
Illustré par Isabelle Merlet

Lisa est venue au marché
avec sa maman.

POMMES
GRANNY
2€90

POIRES
WILLIAMS
3€

Une dame vend des jouets mécaniques.
Lisa ne connaît pas ce mot.
La marchande lui explique que les jouets
mécaniques ont un ressort à l'intérieur.

Ils n'ont pas de pile,
mais une petite clé.

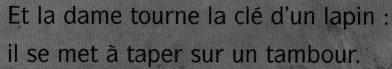

Et la dame tourne la clé d'un lapin :
il se met à taper sur un tambour.

Puis elle tourne la clé d'une grenouille
qui se met à sauter.

Cependant, Lisa a repéré
le jouet qu'elle veut :

La souris,
maman !
Elle est si jolie !

C'est une petite souris grise
avec des yeux noirs et luisants.
On dirait qu'elle regarde Lisa
pour de vrai.

Et la dame n'a pas d'autres souris.

Lisa insiste :

Ça m'est égal
si elle est cassée !

La maman de Lisa sort
son porte-monnaie pour payer.
La marchande refuse.
Elle dit gentiment à Lisa :

La souris est légère et douce.

Sur le chemin du retour,

Lisa la caresse et lui parle :

Tu es une super souris.
Tu seras mon amie.

Lisa a peur, quelquefois.
Elle est sûre que sa souris
la protégera.

Cette nuit, Lisa s'endort
avec sa nouvelle amie
cachée sous l'oreiller.
Mais quel est ce bruit ?

Tape, tape...

C'est le volet qui tape.

Crac, crac...

C'est le tiroir qui craque.

Et si c'était Rator, le monstre de la nuit ?
Il a des yeux rouges et cruels,
un museau pointu et de grandes dents
sales. Il va sauter sur le lit de Lisa.
La petite fille appelle au secours :

Super Souris !
Vite, c'est Rator !

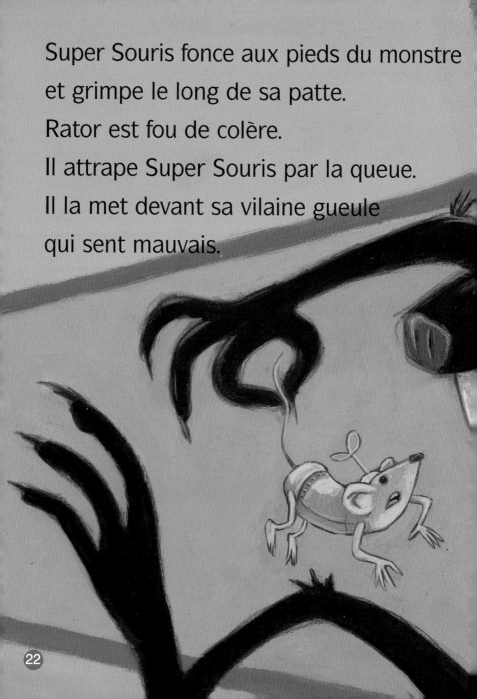

Super Souris fonce aux pieds du monstre
et grimpe le long de sa patte.
Rator est fou de colère.
Il attrape Super Souris par la queue.
Il la met devant sa vilaine gueule
qui sent mauvais.

Lisa avertit Super Souris :

Il va te dévorer !

Super Souris est rusée : elle mord
la langue de Rator pour se délivrer !
Le monstre pousse un cri de douleur.
Il lâche la souris et s'en va.

Lisa est tout heureuse :

Bravo,
Super Souris !
Tu as réussi !

Tape, tape ? C'est le volet qui tape.

Crac, crac ? C'est le tiroir qui craque.

Super Souris regarde son amie :

C'est fini,
Rator n'est plus là.
Bonne nuit, Lisa !

Bravo! Tu as lu un livre en entier !
Tu as aimé cette histoire ?
Découvre d'autres livres dans la même collection !

Guy Jimenes · Benjamin Chaud
T'es trop moche, Jim Caboche!

Didier Lévy · Anouk Ricard
Je vole comme une patate!

Didier Lévy · Céline Guyot
A... ami?

Christian Lamblin · Ronan Badel
J'adore le jus de rat!

Christian Lamblin · Sébastien Mourrain
Maman sera ravie!

Anne Rivière · Gaëlle Duhazé
Drôle d'école!

Anne Rivière · Peggy Nille
Tu chantes comme une casserole!

Mymi Doinet · Nathalie Choux
Les copains du CP
Dis un mot, Tino!

René Gouichoux · Emmanuel Kerner
Qui es-tu?

Laurence Gillot · Rémi Saillard
Je suis Puma Féroce!

Mymi Doinet · G. Dorémus
Sauve qui pou!

René Gouichoux · Mylène Rigaudie
Que la vie est belle!

N° éditeur: 10231840 – Dépôt légal: janvier 2012
hevé d'imprimer en décembre 2016 par Pollina - L78948C
(85400 Luçon, Vendée, France)

IMPRIM'VERT

FSC
www.fsc.org

MIXTE
Papier issu de
sources responsables
FSC® C022030

Nathan présente les applications Iphone et Ipad tirées de la collection *premières* **lectures**.

L'utilisation de l'Iphone ou de la tablette permettra au jeune lecteur de s'approprier différemment les histoires, de manière ludique.

Grâce à l'interactivité et au son, il peut s'entraîner à lire, soit en écoutant l'histoire, soit en la lisant à son tour et à son rythme.

Avec les applications *premières* **lectures**, votre enfant aura encore plus envie de lire... des livres!

Toutes les applications *premières* **lectures** sont disponibles sur l'App Store :